LÉGENDES AMÉRINDIENNES

JEAN-CLAUDE DUPONT

Éditions J.-C. Dupont

LÉGENDES
AMÉRINDIENNES

LÉGENDES AMÉRINDIENNES

Jean-Claude Dupont

Éditions J.-C. Dupont
2 700, rue Mont-Joli
Sainte-Foy, Québec
G1V 1C8

Tél. : (418) 659-1321
Téléc. : (418) 658-7177

Dans la même collection :

ISBN : 2-9801550-7-1

Dépôt légal, deuxième trimestre 1992.
Bibliothèque nationale du Québec
Bibliothèque nationale du Canada

PRÉSENTATION

La légende d'origine indo-européenne traite généralement d'activités humaines associées à des phénomènes magico-religieux et se présente sous forme d'un récit oral situé dans un passé qui est proche. Transformée et regénérée dans des temps subséquents et des lieux divers, elle découle en partie de la tradition qui a christianisé des croyances de l'époque agraire. Au Canada français, elle peut aussi originer de faits survenus au temps des grands-pères ou dans les premiers temps de la colonie. Les Amérindiens ont emprunté certains de ces récits qui font la narration d'événements vécus par leurs aïeux, mais leur tradition orale véhicule surtout des légendes mythiques très anciennes situées dans un temps hors d'atteinte. Ces histoires mythiques traduisent une philosophie de vie qui justifie les comportements en les rattachant à des origines «naturelles» ou elles constituent une science explicative des origines et des raisons d'existence des êtres et des choses.

Ces mythes font intervenir des héros naturels ou surnaturels situés à des niveaux supérieurs ou inférieurs; ce sont des Anciens, des dieux, des manitous ou sorciers. On y découvre une genèse des ordres minéral, végétal et animal, en dépendance d'une science populaire latente qui dévoilerait des traits de la pensée humaine sans la science d'École.

Cette saga des peuples amérindiens articulée autour des héros bons ou mauvais de l'ère pré-chrétienne, ponctuée de punitions, de récompenses, de défis, est reprise selon l'appartenance spirituelle du moment, le manitou devenant alors un Dieu. Cette charte des croyances vouées à une idéologie des comportements est beaucoup plus fixée, comme forme, que celle de la légende des Canadiens français.

Dans chacun des récits contenus dans ce fascicule il y a présence de personnages amérindiens. Certains récits, plus anciens, découlent du savoir traditionnel des autochtones, tandis que d'autres, se rattacheraient surtout à des événements des XVIIe et XVIIIe siècles transmis par la tradition orale francophone. Par exemple, la littérature orale francophone a véhiculé les légendes de «la cloche de Kahnawake» et des «amants pourchassés». D'autres légendes comme «le windigo» et «la grotte au massacre» ont été transmises aussi bien par la tradition francophone que par la tradition amérindienne. Certains récits relèvent exclusivement du répertoire amérindien; ce sont surtout ceux qui prennent la forme de mythes ou qui leur sont apparentés, tels «l'arbre des rêves», ou «la création de la rivière Saint-Maurice», ou «la naissance des esturgeons».

Les légendes présentées dans ce fascicule se rattachent à dix nations amérindiennes du Québec; mais, dans la réalité, la tradition peut attribuer le même texte à plus d'une nation amérindienne et celle-ci peut varier d'un conteur à l'autre.

Cet ensemble de légendes est extrait en grande partie de cinq fascicules consacrés aux légendes du Québec et édités par l'auteur, dans la même collection, depuis 1985.

Les illustrations de personnages, des hommes, des femmes ou des enfants, qui viennent compléter les descriptions des nations représentées sont l'œuvre de l'artiste peintre Joanne Ouellet, tandis que les reproductions de peintures naïves inspirées des récits légendaires, sont de Jean-Claude Dupont. Les données utilisées dans les présentations des nations amérindiennes sont tirées, en grande partie, de *Nations autochtones du Québec*, SAGMAI, Secrétariat aux affaires autochtones du Gouvernement du Québec, 1984.

LES ABÉNAKIS

À l'arrivée des Européens, les Abénakis occupaient un immense territoire s'étendant de la Nouvelle-Angleterre jusqu'aux provinces Maritimes. Vers 1676, ils s'étaient regroupés dans la mission de Sillery, près de la ville de Québec, pour passer ensuite sur les rives de la rivière Chaudière et finalement se fixer à Odanak (Pierreville), et Wôlinak (Bécancour).

Le printemps, les Abénakis exploitaient la sève d'érable et pêchaient; l'été, ils cultivaient du tabac, des légumes, tels les patates, les fèves, le blé d'Inde, les courges, et ils cueillaient des bleuets et différentes baies. À la fin de la saison, ils accumulaient des plantes médicinales, des noix et des châtaignes. L'automne, ils commençaient à chasser les oiseaux d'eau, l'orignal et le chevreuil.

Les hommes portaient un bonnet et une ceinture faits de peau tannée, et ils se munissaient de petits sacs d'amulettes tirées d'animaux à l'esprit bienveillant. En hiver, leurs mocassins en peau d'orignal étaient doublés de peau de lièvre et enfilés dans des chaussures de cuir qui atteignaient le genou. Les femmes et les hommes portaient alors des casques de fourrure et s'enveloppaient de peau d'orignal.

Ils étaient férus de mythes portant sur la création du monde et autres croyances légendaires. Les chamans s'y connaissaient dans l'art de guérir et de choisir les bons terrains de chasse. Les Abénakis se rassemblaient lors de cérémonies de mariage ou de funérailles, par exemple, et ils exécutaient alors des danses encore vivantes chez eux : les danses du Couteau, de la Pipe et de l'Aigle.

La bande compte quelques 600 membres à Odanak, en bordure de la rivière Saint-François, et une centaine, à Wôlinak, sur la rivière Bécancour. ils fabriquent surtout de la vannerie d'éclisses de frêne et de racines de cèdre. Ils décorent ces paniers de dessins traditionnels et de foin d'odeur. Certains artistes connaissent encore les secrets de fabrication du «masque du soleil», symbole d'abondance, et du «masque du maïs», rappelant les fruits de la nature. D'autres sculptent des totems cérémoniels identifiés à l'animal gardien de la tribu.

Le musée d'Odanak renferme une importante collection d'artefacts illustrant la culture traditionnelle et les œuvres artistiques des Abénakis.

Petite fille de la tribu des Abénakis, à Odanak

1. L'enfant adopté par des ours
huile sur toile; 10″ × 14″; 1985
collection Musée des Abénakis, Odanak

Un enfant abénakis perdu par ses parents
est retrouvé dans une grotte d'ours.

ODANAK

Il y a de cela longtemps, un père, sa femme et leur petit garçon abandonnèrent leur village et partirent en canot pour se rendre au Canada. Sur leur route, pour franchir une série de rapides, ils durent portager leur canot sur leur dos. Sans qu'ils s'en rendent compte, le petit garçon s'éloigna d'eux et il se perdit en forêt. Les parents parvenus au village, tous les habitants se mirent de la partie pour le retrouver. On le chercha tout l'hiver mais il demeurait introuvable. Au printemps, ils découvrirent finalement des pistes d'ours autour de petites flèches de bois destinées à attraper des poissons; ils conclurent alors que l'enfant avait été adopté par des ours.

Un homme lâche, qui n'avait pas participé à la recherche et qu'on ridiculisait dans le village, partit alors et se rendit à la grotte d'un ours. Arrivé là, il frappa avec son arc sur les pierres de l'entrée. Aussitôt une famille d'ours, le père, la mère et leur petit, surgirent de leur cachette. Le chasseur, après avoir abattu les trois ours, entra dans la caverne. Il trouva alors, tout apeuré dans un coin, l'enfant qui pleurait, demandant ses parents.

Déjà le garçon commençait à devenir un ours; de longs poils lui poussaient sur le dos et les épaules et il tournait lentement la tête à la manière d'un ours. Plus tard pourtant, il se maria et fut heureux avec sa femme et sa petite fille. Il devint le plus grand chasseur de son village, puisqu'il était même capable de sentir la présence des animaux qui étaient hors de sa vue.

2. La naissance des esturgeons
huile sur toile; 9″ × 12″; 1985
collection Musée des Abénakis, Odanak

Le grand manitou des Abénakis taille le rocher
et laisse passer le père des esturgeons.

ODANAK

Il existe un grand lac d'où coule une rivière pleine de beaux gros esturgeons et c'est de là qu'originent ces poissons dorés.

Voici leur histoire : La terre était déjà peuplée d'ours, de tortues et d'orignaux, et dans les eaux l'on trouvait toutes sortes de poissons mais on ne connaissait pas encore les esturgeons.

Un jour un Indien, Sokalexis, debout sur les rives du lac, se peignit le corps de raies de couleur et cria à qui voulait l'entendre qu'il était un esturgeon. Puis il sauta à l'eau et disparut. Il ne revint jamais sous sa forme humaine, et c'est lui qui est le père de tous les esturgeons.

Il n'y avait cependant des esturgeons que dans ce grand lac et les pêcheurs éloignés souhaitaient qu'ils se répandent dans les rivières. Alors, un grand manitou d'une force remarquable, s'empara d'une énorme hache, posa ses pieds sur le rocher en bordure du lac, et, en quelques coups à même la pierre, il tailla entre ses jambes une décharge d'où l'eau s'écoula pour former un ruisseau. Aussitôt, Sokalexis, le bel esturgeon, s'échappa du lac et franchit le passage devenu un cours d'eau.

C'est depuis ce temps-là qu'il y a des esturgeons dans les eaux de la rivière Kennebec. Et l'on prétend même qu'il y en aurait maintenant dans plusieurs autres rivières : ils y seraient passés le printemps, alors que les cours d'eau débordent.

3. La famille transformée en baleines
huile sur toile; 10 × 14; 1985
collection Musée des Abénakis, Odanak

Un père abénakis et ses filles privés d'eau à boire
se transforment en baleines.

BÉCANCOUR

Jadis, une grenouille géante terrorisait le pays et desséchait tous les cours d'eau, n'en conservant pour elle que quelques-uns où coulait une belle eau claire. Personne n'avait réussi à la faire mourir. Finalement, le grand chef débarrassa le pays de la grenouille qui empêchait les Abénakis de se désaltérer en jetant un arbre sur elle. Aussitôt, de chacune des branches de l'arbre surgit une rivière.

Durant cette disette d'eau, une tribu entière s'était mise en marche, de nuit, pour trouver un cours d'eau douce. Ils partirent si vite qu'ils en oublièrent au village un père et ses deux filles. Lorsque ceux-ci s'éveillèrent, ils s'aperçurent qu'ils avaient été abandonnés par la tribu; ils se mirent alors à suivre les traces des leurs pour tâcher de les rattraper. Malheureusement, les pistes les amenèrent à la mer où l'eau était salée. Arrivés à cet endroit, exténués, ils réalisèrent qu'ils n'avaient plus les forces nécessaires pour aller plus loin.

C'est alors qu'ils descendirent, l'un derrière l'autre, dans ces eaux, et qu'ils en émergèrent ensuite, transformés en baleines.

Il ne manque pas de gens pour affirmer que depuis, on les a vus, souvent, en bordure de la mer, lançant de forts jets d'eau sur le rivage. Mais elles ne viennent plus se chauffer au soleil sur les galets; mon grand-père prétend qu'elles craignent de s'accrocher par le ventre sur d'anciens crochets à marsouins.

4. Le courrier du Roi
huile sur toile; 16″ × 20″; 1986
collection Musée des Abénakis, Odanak

Un Blanc devenu amoureux d'une Amérindienne
est mis en déroute par un ours dompté.

ODANAK

Monsieur Pagé, le courrier du Roi qui venait de Sorel en canot par la rivière Saint-François, était attendu avec plaisir à Odanak : il apportait les nouvelles de la parenté éloignée trois ou quatre fois par an. En hiver on voyait venir à la fine épouvante son beau cheval gris attelé à un berlot rouge. Les clochettes de son attelage produisaient un tintement bien particulier et on le reconnaissait de loin. Il avait droit de passage en priorité et aussitôt que les conducteurs de véhicule entendaient crier : «Courrier du Roi», ils se rangeaient de côté pour le laisser passer.

Mais on finit bien par remarquer que s'il distribuait son courrier avec empressement dans la plupart des maisons, il s'arrêtait longuement dans une demeure où vivait une belle abénakise. Les jeunes gens du village en devinrent jaloux et voulurent donner une leçon à cet étranger.

Le père de la jeune fille avait un jour trouvé un ourson près de sa mère prise dans un piège. Devenu adulte et bien dompté, l'animal obéissait fidèlement au vieux chasseur. Un jour que la jeune fille était partie à la cueillette de «foin d'odeur» pour façonner des paniers, des jeunes gens, de connivence avec son père, firent entrer l'ours dans la maison en prévision de la visite du courrier du Roi. Comme d'habitude, il se dépêcha de faire sa distribution dans le village puis traversa le parterre de sa maison préférée le sourire aux lèvres, pensant aux moments agréables qui l'attendaient. Connaissant bien les lieux, il ouvrit la porte sans frapper et il allait mettre le pied à l'intérieur quand l'ours, en grondant, debout et les «bras ouverts», fit deux ou trois pas en direction du courrier Pagé pour le recevoir avec effusion.

Le pauvre Pagé qui s'attendait à une toute autre réception crut sa dernière heure arrivée. Il quitta prestement la maison, blanc de peur, et il franchit le parterre en deux ou trois enjambées puis traversa le village d'un trait.

On rapporte d'ailleurs que dans son affolement, son sac à malle se vida de son contenu et qu'il n'y a pas si longtemps, cent ans après l'événement, on trouvait encore des lettres qu'il n'avait pas remises.

Quant à Pagé, les gens d'Odanak ne l'ont jamais revu.

5. Le grand serpent de mer
huile sur toile; 16″ × 20″; 1986
collection Musée des Abénakis, Odanak

Une femme étend son linge pour le faire sécher
sur un corps d'arbre qui se change en serpent.

SAINT-FRANÇOIS-DU-LAC

De temps en temps la grand-mère se rendait chez sa fille installée dans la commune de Lakommanek en bordure de la rivière Saint-François. Son gendre Joseph, un bon chasseur, passait son temps dans les grands bois, loin de la civilisation. Le printemps étant arrivé, son épouse l'attendait donc d'un jour à l'autre et, en prévision de son retour, elle faisait le grand ménage.

Ce jour-là grand-mère s'était chargée d'étendre au soleil les couvertures et vêtements que sa fille lavait dans la rivière. À quelques reprises déjà, grand-mère lui avait demandé où se trouvait la «corde à linge» pour suspendre les hardes à faire sécher. Mais celle-ci, occupée qu'elle était à frapper avec un battoir en bois le linge qu'elle plaçait sur une roche, ne l'entendait pas. «Tant pis!» pensa grand-mère; Joseph, renommé pour être négligent, n'en avait probablement jamais posée. Elle commença donc par regarder partout, autour de la maison, pour repérer un support sur lequel elle pourrait étendre le linge. Finalement, en levant les yeux vers la rivière, elle aperçut sur la rive une longue branche d'arbre qui sortait de l'eau. «Tiens, se dit-elle, cette branche remplacera bien la corde à linge». Elle transporta alors les pièces de lingerie lavées, son tablier lui servant de manne. Finalement les deux femmes entrèrent dans la maison pour se restaurer car la tâche était terminée. Par la fenêtre, grand-mère pouvait jeter un coup d'œil de satisfaction : toute la lingerie s'agitait légèrement au vent.

C'est alors que Joseph déboucha de la forêt, heureux d'arriver au logis et d'y retrouver sa famille. En arrivant en vue de la rivière, tout surpris, il se demanda cependant quel nouveau procédé utilisait son épouse pour sécher les vêtements. Il venait en effet d'apercevoir se promenant de bord en bord de la rivière un immense serpent dont le corps était décoré de pièces de tissu de toutes couleurs : des pantalons, des robes, des chemises, des serviettes... Aussitôt, levant les bras de désespoir, il lança des cris qui attirèrent l'attention des deux femmes en train de boire calmement leur tasse de thé. «Femmes, leur dit-il, vous avez étendu votre lavage sur le «grand serpent de mer» sorti du canal souterrain qui traverse la commune. C'est pour cela que la terre a bougé aujourd'hui sous mes pieds entre les deux marais. Qu'importe la lessive, pensez plutôt à l'abondance de fruits et de gibier qui suit toujours ses apparitions».

LES ALGONQUINS

Plus de 4 000 Algonguins vivent maintenant en Abitibi-Témiscamingue, dans les villages de Grand-Lac-Victoria, Lac-Simon, Winneway, Pikogan, Témiscamingue, Kipawa, Wolf Lake, Lac-Rapide, et en Haute-Gatineau, à Maniwaki. Ces Amérindiens sont en relation avec leurs voisins du Québec, les Attikameks et les Cris, de même qu'avec les Ojibways de l'Ontario. Ils pratiquent encore la pêche, le trappage et la chasse, mais ils se sont aussi intégrés au monde du travail de leur région.

Selon la tradition orale, le territoire ancestral de ces nomades était situé sur la côte-est de l'Atlantique et ils seraient parvenus jusqu'au nord-ouest du Québec après avoir d'abord séjourné dans la région d'Oka.

Jadis, la longue période de chasse pendant les temps froids était particulièrement exigeante pour les femmes qui demeuraient au camp et devaient avoir soin des enfants. Pour nourrir la famille en attente du retour des hommes elles chassaient le lièvre et la perdrix, pêchaient et s'approvisionnaient en eau et en bois de chauffage. En été, lorsque les chasseurs revenaient avec leurs fourrures, elles tannaient les peaux, fabriquaient des vêtements et préparaient la viande qui servait de nourriture pendant l'hiver suivant. Les Algonquines sont toujours renommées pour leurs travaux de broderie. Elles mettent de longues heures à garnir de perles et de motifs décoratifs des robes, des vestes, des bracelets, des colliers, des boucles d'oreilles et des bandeaux.

Les croyances algonquines reposaient sur le chamanisme par l'intermédiaire du chaman ou sorcier qui se faisait le lien entre les humains et l'inconnu et pratiquait des rites dans la «tente tremblante» pour établir la communication avec les esprits divins et les animaux. Les activités de chasse étaient associées à des rites visant à respecter l'esprit des animaux tués pour s'assurer des chasses fructueuses.

Les Algonquins sont encore très attachés à leurs traditions. Ainsi, à Lac-Simon, lors de la journée du canot qui a lieu au mois de septembre, en souvenir de l'ancienne fête du départ pour la saison de chasse, on fait des rencontres familiales. Les plus âgés relatent des histoires de chasse et rappellent l'importance des liens familiaux. On enseigne encore aux enfants à monter une tente, à piéger et à vivre en forêt.

6. Le windigo
huile sur toile; 11″ × 14″; 1978
collection M.-R. Bouchard-Larouche, Beauport

Un animal invisible et de mauvaise renommée
vient se manifester à des enfants.

SAINT-ADELPHE

«Mon grand-père nous parlait souvent du windigo, un animal invisible qui passait vite comme le vent et subtilisait le gibier pris dans les pièges des chasseurs. Lorsque au printemps les hommes des chantiers forestiers revenaient des Pays-d'en-Haut, ils avaient presque tous, une nuit ou l'autre, entendu passer cet animal qui, disaient-ils, se déplaçait en glissant sur la neige ou en roulant sur le sol herbeux. Au passage, il leur dérobait généralement leur chaudière de nourriture cachée derrière un arbre en prévision du repas du midi. Lorsque les bûcherons étaient rassemblés autour d'un feu pour dîner et qu'ils entendaient des bruits, il y en avait toujours un qui lançait une galette ou un croûton de pain dans les branchages, souhaitant ainsi tenir le windigo loin d'eux.

Dans les régions de l'Abitibi et du Témiscamingue, on prétendait même que l'animal filait sur l'eau des lacs à grande allure et qu'en passant il dépouillait les colons du poisson nécessaire à leur subsistance. D'ailleurs mon grand-père prétendait que le windigo avait besoin, pour vivre, de manger sept fois la grosseur de son corps chaque jour. Dans les «sucreries» des Cantons de l'Est, si les hommes laissaient, la nuit, une cabane à sucre sans surveillance, il leur arrivait de découvrir, le matin, qu'ils s'étaient fait voler des «manquarts de sucre».

Mes parents prétendaient aussi qu'en hiver, lorsqu'il était affamé, le windigo venait aux alentours de la grange pour voler des œufs et des poules. Un soir, nous avions dû faire une recherche dehors, autour des bâtiments, pour retrouver notre chatte qui n'était pas rentrée. Nous avions profité du moment où grand-père revenait de l'écurie avec son fanal car il faisait très noir. Comme nous entendions notre chatte miauler avec insistance et que nous la pensions dans une mauvaise situation, grand-père nous dit: «Tiens, elle a dû rencontrer le windigo derrière la grange». Au même moment nous vîmes passer en vitesse, devant l'étable, une bête à grandes oreilles et qui portait un panache. Inutile de dire que la peur nous avait fait détaler vers la maison.

À plusieurs reprises, pendant la nuit, nous avons encore entendu notre chatte miauler désespérément; et ce n'est que le lendemain que le pauvre animal revint, penaud, gratter à la porte pour rentrer. Nous étions bien fiers qu'elle ait survécu au windigo, même si elle avait une oreille déchirée et des touffes de poils en moins».

LES ATTIKAMEKS

Entre 1670 et 1680, la nation attikamek s'est presque éteinte alors qu'elle fut frappée par des épidémies et que des combats la mirent régulièrement aux prises avec les Iroquois. Ils doivent leur survie au fait de s'être associés à d'autres Amérindiens nomades, les «Têtes de boule». Les Attikameks furent régulièrement en contact avec des marchands et des missionnaires et ils développèrent des relations économiques basées sur l'échange de marchandises avec les Hurons, les Cris, les Montagnais et les Algonquins. En 1820, la Compagnie de la Baie d'Hudson ouvrit un poste de traite à Weymontachingue où ils venaient échanger leurs fourrures contre des munitions, de la farine, des outils, des vêtements, etc.

Aujourd'hui, quelque 3 000 Attikameks vivent dans les forêts de la Haute-Mauricie, surtout dans les villages de Obedjiwan, Manouan et Weymontachingue. Depuis la construction de la voie ferrée et l'industrialisation de la région, de nombreux changements sont survenus au sein de la population qui est passée de la chasse, du trappage et de la pêche, aux emplois de guides, de travailleurs forestiers, de conducteurs de camion, d'ouvriers de la construction, de professeurs, de gérants, etc.

Certains membres font encore des produits selon la tradition ancienne pour en tirer des revenus, tels des toboggans, des canots et des vêtements richement décorés. Leur mythologie repose sur des légendes qui font peu de distinction entre l'animal et l'humain.

Jadis, en septembre, ils abandonnaient leur village pour monter s'installer dans leurs camps de chasse, et en avril, ils commençaient à pêcher. En juin, ils s'en revenaient au poste de traite pour échanger leurs pelleteries. Juillet était la période des festivités et des mariages.

Avant la diffusion du canot de toile et du canot métallique, les Attikameks se transportaient sur l'eau en léger canot d'écorce de bouleau. Ils fabriquaient des contenants très décorés en écorce pour emmagasiner les outils, d'autres pour la cueillette de l'eau d'érable et la conservation de la viande, et des «tikinagan», en bois, pour transporter les jeunes bébés. Les peaux de lièvres cousues ensemble et la fourrure d'orignal servaient de couverture ou à la confection de vêtements. Le chef était un homme sage qui avait une grande expérience qu'il mettait au service de la survie du groupe. Maintenant, les Attikameks et les Montagnais forment un seul Conseil.

Bébé attikamek dans son «tikinaga

7. La création de la rivière Saint-Maurice
huile sur toile; 12″ × 16″; 1985
collection Musée des Abénakis, Odanak

Avant de mourir, un Amérindien creuse la rivière
à travers la terre ferme.

HAUT-SAINT-MAURICE

Comme il était coutume depuis des décennies, un vieil Indien, sentant venir la fin de ses jours, alla s'isoler dans les grands bois. Là, seul, il rencontrerait l'esprit de la mort.

Il était parti tôt le matin dans son canot, et avait atteint, le soir, le lieu choisi par lui depuis longtemps. À la nuit noire, enveloppé dans une couverture devant un feu qui, lui aussi, agonisait, il attendait.

Soudain il fut entouré par une bande de loups affamés qui attendaient que le feu se consume pour déchiqueter le vieillard. Alors, apeuré et regrettant ses forces perdues, il invoqua le mauvais manitou, offrant son esprit s'il lui rendait sa jeunesse et sa force. «Très bien dit le manitou du mal, je te redonnerai ta vigueur de vingt ans, mais tourne la pointe de ton canot vers le soleil levant et pagaie à travers les terres qui s'ouvriront pour te laisser passer. Lorsque tu atteindras le fleuve Saint-Laurent, alors, tu mourras».

Il voyagea ainsi pendant deux lunes, mais quand il vit qu'il se rapprochait du grand fleuve, il commença à serpenter, pensant ainsi allonger sa vie. Dès qu'il atteignit le fleuve, son canot chavira pourtant, l'emportant dans l'onde.

Voici pourquoi la rivière Saint-Maurice fait tant de détours avant de se jeter dans le fleuve Saint-Laurent.

8. Le dernier loup-garou
huile sur toile; 12″ × 14″; 1986
collection Musée des Abénakis, Odanak

Un Attikamek loup-garou pourchasse les siens
et s'enfonce dans le feu.

HAUT-SAINT-MAURICE

Parce que Maskanawidj avait fait une mauvaise vie de jeunesse, le Windigo lui avait jeté un sort : celui de courir le loup-garou tous les hivers. Lorsqu'arrivaient les neiges, il sortait le soir pour revenir sous la forme d'un loup et jusqu'au printemps, il ne cessait de semer la terreur dans le village.

Un jour son fils, craignant que le loup-garou n'attaque son jeune enfant, décida de s'en aller très loin avec le petit. Ainsi, Maskanawidj les perdrait de vue pour toujours.

Après avoir traversé de grandes plaines, le fils se cacha dans une hutte profondément enfouie sous la neige. Le loup-garou fit alors un pacte avec le Windigo et il lui dit : «Montre-moi le chemin qu'ont suivi mon fils et son enfant, et ensuite tu pourras m'emporter». «Marché conclu, dit le Windigo, prends ta canne et demande-lui la route à suivre».

La canne se coucha par terre en direction de la cachette du fils, et il partit. Un matin, au fur et à mesure qu'il avançait, la neige fondait sous ses pas; le soir même, il avançait dans de l'eau bouillante et vers minuit, il s'enfonça dans une mer de feu.

On n'entendit plus jamais parler du loup-garou par la suite. Quant au fils et à son enfant, on sait qu'ils sont revenus, puisque leur lignée s'est perpétuée : leurs descendants racontent toujours l'histoire de leur grand-grand-grand-père.

9. L'enfant dans la lune
huile sur toile; 8″ × 10″; 1985
collection Musée des Abénakis, Odanak

Un jeune Attikamek abandonne ses parents
et s'en va dans la lune.

HAUT-SAINT-MAURICE

Un couple, déjà avancé en âge, désespérait d'avoir un enfant, aussi demandèrent-ils à un Indien de «faire le Walbano», c'est-à-dire de s'enfermer dans une cabane pour communiquer avec les esprits afin de s'enquérir auprès d'eux s'ils connaîtraient le bonheur d'accueillir un enfant avant leur mort. Ceux-ci leur révélèrent de ne pas désespérer, qu'ils avaient vu un bébé dans un songe. La prédiction se réalisa : un jour, le vieil homme trouva un tout jeune enfant abandonné en forêt et l'amena à son épouse. Mais lorsque l'enfant grandit, il s'ennuya et cherchait toujours des petits amis pour s'amuser avec eux. Un soir, alors que ses parents adoptifs dormaient, il se rendit près d'un lac pour jouer et parler aux poissons qui sautaient pour gober des mouches.

Il fut alors ravi par la nappe d'eau sur laquelle la lune étendait un beau ruban jaune et il pensa qu'il serait plaisant d'aller rendre visite à la belle boule jaune.

Il avança lentement sur le reflet doré posé sur l'eau, puis il gravit peu à peu la pente qui le conduisit à la lune. Il passa là la nuit à jouer avec un merveilleux lutin venu jusqu'à lui, mais lorsqu'il voulut retourner chez ses parents, le jour était venu et sa route avait disparu.

Le vieux couple eut beaucoup de peine et ils cherchèrent longtemps leur fils. Pour les consoler cependant, celui-ci descendait de la lune, la nuit, et venait leur sourire. Il tentait même de les emmener avec lui, mais les vieux époux ne voulurent pas entreprendre un tel voyage.

Il ne revint plus jamais après la mort de ses parents mais il s'amuse toujours dans la grosse boule jaune avec son ami.

10. Le petit homme astucieux
huile sur toile; 8″ × 10″; 1985
collection Musée des Abénakis, Odanak

Un petit homme attikamek se promène sur une flèche
et prend le soleil au collet.

HAUT-SAINT-MAURICE

Tchakalish, qui demeurait seul avec sa sœur, était un tout petit homme agile et rusé; il passait son temps à siffler et à jouer des tours et ne chassait jamais. Un jour, sa sœur lui dit : «Je veux me marier; prenons chacun une route différente pour me chercher un époux». Tchakalish rencontra d'abord Kamichat, un géant qui n'aimait pas être dérangé. Il se mit en colère lorsque Tchakalish arriva sur son territoire en sifflant pour le faire venir.

— «Tais-toi, petit laid, ou je te lance une flèche».
— «Tu es bien plus laid que moi», répondit le petit homme.
— «Tiens, prends cela», dit le géant en lui lançant une grosse flèche. Mais Tchakalish, très agile, sauta à cheval sur la flèche juste au moment où elle passait à ses côtés et il fit ainsi un beau tour dans les airs.

Cherchant encore à jouer des tours, il arriva à une hutte et y découpa en lanières une peau d'orignal qu'un Indien voulait transformer en mocassins, puis il siffla pour se manifester. Furieux, ce dernier le pourchassa; mais il s'échappa en sautant sur une branche de sapin qui lui servit d'embarcation pour traverser le lac.

Arrivé sur la rive opposée, il n'y trouva que des huttes vides; pas même un animal. Comme il n'y avait personne à qui jouer des tours, il décida de fixer un grand collet sur une montagne pour attraper le soleil. Dès que le soleil se fut engagé dans le collet, il tira vivement sur la corde qu'il tenait en main. Il fit aussitôt très sombre et Tchakalish, en voulant retourner chez lui, tomba dans un grand trou noir. Cherchez ce lieu où le soleil ne se lève plus jamais et vous y retrouverez le petit homme qui sifflait.

LES CRIS

Plus de 8 000 Cris vivent dans des villages sur les rives de la Baie-James et de la Baie-d'Hudson, à Whapmagoostui, Chisasibi, Wemindji, Eastmain, et à l'intérieur des terres, à Nemiscau, Mistassini et Waswanipi. Nomades de nature, ce n'est surtout que depuis le XXe siècle qu'ils se sont regroupés en communautés stables. Dès le XVIIe siècle, ils sont en contact avec des commerçants anglais et français qu'ils viennent rencontrer au poste de traite des fourrures au moins une fois par année. C'est par ces transactions qu'ils adoptent des outils en fer et des aliments qu'ils ne connaissaient pas auparavant. De leur côté, les Cris apportent leur aide à ces nouveaux venus exposés aux contraintes de la nature dans une contrée au rude climat hivernal.

Encore très attachés à la chasse, au trappage et à la pêche, les Cris sont renommés pour l'originalité de leurs produits artisanaux et leurs créations artistiques. Ils perpétuent des techniques de tannage et de transformation des peaux, pour en faire des vêtements richement décorés. Plusieurs personnes, surtout des femmes, sont occupées à produire des objets d'artisanat et des œuvres d'art qui sont mis sur le marché à travers un réseau de boutiques. Ils façonnent des appelants de rameaux de mélèze qui ont fait leur renommée dans le monde.

Les pasteurs anglicans et les missionnaires oblats sont à l'origine de la mise en place de l'enseignement et des services de santé. Les Cris ont développé des organismes économiques et les services sociaux nécessaires au bien-être des communautés. Chaque village dispose d'une école élémentaire et une école polyvalente regroupe les jeunes amérindiens qui veulent poursuivre des études secondaires. Chisasibi est doté d'un hôpital qui répond aux besoins des habitants des villages de la côte et chaque communauté est desservie par une clinique médicale. Les Cris qui possèdent leur propre compagnie de transport aérien ont surtout développé leur autonomie depuis le milieu des années 1970, alors que le Grand Conseil des Cris, composé d'un chef et d'un délégué de chacune des huit bandes, signa une entente en vue du développement hydro-électrique de la Baie-James.

Grand-mère cri de Mistassi

11. Les chasseurs d'ours
(photo American Museum of Natural History.
A. Skinner, circa 1910)

Un enfant élevé par un ours devient un très bon chasseur, puis il sera
finalement transformé en ours.

MISTASSINI

Un ours avait trouvé un enfant dans les bois, et pendant plusieurs années, il en prit soin comme si c'était son propre enfant. Ils chassaient ensemble, et l'automne, ils cueillaient des bleuets et s'en faisaient des provisions pour l'hiver. Un jour, l'ours dit au garçon qu'il entendait son père chanter et il tâcha de chanter plus fort que le père mais il finit par s'épuiser à la tâche. Plus tard, durant l'hiver, il dit qu'il voyait le père parti à la recherche de son fils.

En effet, le père se dirigeait tout droit vers la cache de l'ours et de son protégé. Mais, même si l'ours voulut distraire le père en mettant un castor sur ses pas, puis un porc-épic, puis une perdrix, le père négligea de tuer ces animaux pour les manger et continua sa route vers son fils.

L'ours, voyant qu'il allait bientôt se faire tuer, donna l'un de ses jarrets au garçon, disant que plus tard dans la vie, il devrait suspendre au mur ce jarret, là où il s'assoyerait normalement. Puis, il lui dit que pour trouver des ours et les tuer, il fallait se placer sur une élévation et surveiller les endroits où de la vapeur s'échappait du sol.

L'ours sortit ensuite à la rencontre du père qui le tua et retourna chez lui avec son fils.

Lorsqu'il devint homme, le garçon était si bon chasseur d'ours qu'il pouvait à lui seul nourrir la bande de Cris. Mais, un jour, il rencontra des chasseurs d'ours accompagnés de leur épouse et ces femmes se mirent à le jalouser.

Elles cherchèrent d'où lui venait cette capacité, puis elles repérèrent le jarret merveilleux. Il leur dit alors où aller le lendemain pour trouver un ours.

Le jeune homme alla ensuite s'asseoir à sa place habituelle, auprès du jarret. Mais, l'objet tomba du mur et disparut avec le jeune homme dans les souterrains de la terre. On raconte que longtemps plus tard le garçon revint sur terre sous forme d'un ours.

LES HURONS-WENDATS

Wendats, signifiant «insulaires» ou «habitants d'une péninsule», est un nom que portent toujours les Hurons en souvenir de leur premier établissement en Huronie, une péninsule du sud de l'Ontario où ils cultivaient des terres fertiles.

Les femmes y faisaient pousser du maïs de même que des fèves et des courges qu'elles conservaient, pour tous les résidents, dans des barils emmagasinés dans de longues maisons. Les surplus alimentaires servaient à l'échange, avec d'autres groupes amérindiens, contre des pièces de vêtements et des outils. Les femmes confectionnaient des nasses avec des feuilles de blé d'Inde et produisaient une grande variété de poteries, tandis que les hommes, en hiver, faisaient des raquettes à neige, des arcs et des flèches. Les Hurons-Wendats ont toujours accordé une grande importance à la chasse et à la pêche, surtout durant l'hiver, alors qu'ils partaient en expédition pendant plusieurs mois.

Ils étaient 18,000 personnes appartenant à quatre tribus qui demeuraient dans une vingtaine de villages fortifiés s'élevant en bordure de points d'eau et formé chacun d'une quarantaine de maisons longues de 30 mètres. Chaque village comportait au moins deux plus grandes maisons servant de résidence pour le chef de guerre et le chef des questions domestiques. Le bonnet du chef, un large bandeau de cuir brodé de motifs floraux symbolisant l'autorité, retenait un bouquet de plumes de coq ou de perdrix sur le dessus de la tête. Leur société était matrilinéaire et comportait huit clans : ceux de la tortue, du loup, du castor, du serpent, du porc-épic, de l'aigle, du chevreuil et de l'ours.

Vers 1650, par suite de fréquentes attaques des Iroquois, et aussi à cause de maladies contagieuses et du manque de nourriture, ils s'amenèrent à Québec où les Jésuites et les Ursulines s'occupèrent d'eux. Ils se fixèrent finalement près de la rivière Saint-Charles, sur le site actuel du Village-des-Hurons, où ils sont maintenant au nombre de 800, alors que près de 500 autres vivent en dehors du village. Les Hurons sont reconnus pour l'originalité des objets d'artisanat qu'ils produisent, des mocassins, des raquettes à neige, etc., dans de petites entreprises spécialisées dont les techniques de fabrication et l'art décoratif reflètent les traditions ancestrales, l'histoire de leur nation et sa mythologie. Le Village-des-Hurons conserve dans son musée et sa chapelle des objets représentatifs du genre de vie passé, de même que des pièces d'orfèvrerie datant du XVIIe siècle.

12.   L'arbre des rêves – 1983
huile sur toile; 14″ × 18″; 1983
collection E. Hermon, Sainte-Foy

Un vieil Indien récompensé par Notre-Dame de Lorette.

RIVIÈRE SAINT-CHARLES

Un été, un vieil Indien de Lorette revenant fatigué de la chasse s'endormit sous un arbre à l'entrée de la rivière Saint-Charles. Notre-Dame de Lorette lui apparut en songe et lui dit qu'il ne verrait plus les bourgeons sortir des arbres, mais qu'elle lui ouvrirait les portes du paradis. Le vieillard rendit l'âme peu de temps par la suite. Pour se moquer de lui, un jeune homme paresseux qui trafiquait du rhum et volait les bêtes prises dans les pièges des chasseurs se rendit se coucher sous l'arbre des songes. Soudain, le sol frémit et il entendit un corps lourd plonger dans les eaux. Dans la nuit sombre, il vit une clarté s'échappant des yeux d'un grand serpent dont la tête s'élevait au-dessus des eaux. Le reptile dont la peau brillait comme de l'or ouvrit toute grande la gueule et lui dit: «Je t'aime, Carcajou. Je suis le Manitou que les Indiens adoraient avant de connaître Notre-Dame de Lorette».

Comme le garçon avait peur, l'animal fut remplacé par un petit vieillard. «Tu es paresseux, je t'offre une bourse d'argent. Tu es orgueilleux, je t'habillerai comme un roi. Tu es ivrogne, voici une bouteille qui ne se videra jamais. Je te donnerai en mariage la fille du Grand-chef; et tout cela, si tu adores le Manitou».

Le jeune homme accepta la proposition. À sa mort, le petit vieux au rire moqueur apparut pour écarter le prêtre qui voulait confesser le mourant.

13. La Dame aux glaïeuls – 1983
huile sur toile; 12″ × 16″; 1983
collection D. Rodrigue, Saint-Joseph

Une sorcière sort des eaux et s'attaque aux voyageurs
par soirs de pleine lune.

FLEUVE SAINT-LAURENT

On ne la vit jamais pendant le jour; elle descendait toujours de nuit dans un rayon de la nouvelle lune et se reflétait sur les eaux du fleuve. Un soir, alors qu'un vieux canotier entreprit de transporter sur le fleuve madame Houel et son jeune fils, ils étaient partis de la basse-ville de Québec et faisaient route vers le Bas-du-Fleuve depuis quelques heures. Lorsque la nouvelle lune se dégagea des nuages, l'enfant se réveilla en sursaut, demandant à sa mère si elle ne voyait pas, marchant sur les eaux, une femme vêtue de blanc. Le vieil homme dit alors que les enfants perçoivent toujours le danger les premiers; et que cet esprit malin était la Dame aux glaïeuls.

Sentant le lever du jour venir, le canotier voulut s'approvisionner de viande pour le déjeuner et il alla vers la rive et descendit surprendre des oiseaux de grève. Lorsqu'il revint à la barque, elle était vide; ses deux amis étaient disparus. Quelques lieues plus bas, il fut attiré par des lamentations. Il aperçut la mère pendue à un arbre et son fils étendu sur le sol, mourant. Le garçon raconta alors qu'ils avaient été attirés par une grande dame qui arriva à eux au milieu d'un ruissellement de gouttelettes d'eau et qu'elle s'était emparé d'eux. Elle avait des yeux verts et des cheveux noirs qui volaient au vent. Sa figure couleur de cuivre se dégageait d'un halo lumineux. Vue de près, elle souriait de satisfaction.

Les enfants craignent toujours depuis d'aller sur la grève à la nouvelle lune.

LES MICMACS ET LES MALÉCITES

Lorsque les pêcheurs basques et les premiers Français rencontrèrent les Micmacs sur la côte Est du Canada au XVIᵉ siècle, ils les nommèrent «Souriquois», mais ces Amérindiens se désignaient eux-mêmes sous le nom de «Migmawag», c'est-à-dire «Peuple de l'aurore». Ils étaient alors semi-nomades, ne pratiquant pas l'agriculture mais vivant de la pêche et de la chasse. En automne, ils se déplaçaient vers les grandes forêts pour y chasser et trapper les animaux. Leurs wigwams d'écorce de bouleau ou de peau d'animal étaient simples; et leurs vêtements bien adaptés à leurs activités et au climat: vestes avec ou sans manches, manteaux, bonnets et capuchons en fourrure. Leurs outils étaient tirés d'os de gros gibiers, de panaches de cervidés et de dents de carnivores et ils se servaient de récipients de fibres lacées ou de terre cuite. Toute activité importante était précédée de rites religieux, comme des offrandes faites à leurs dieux, et le feu constituait un élément essentiel dans les activités religieuses, sociales ou politiques. Les Micmacs pratiquaient les cultes de l'Ours, et les nouveaux-nés étaient présentés au soleil à l'équinoxe du printemps. Le sorcier jouait le rôle d'intermédiaire entre les dieux et les humains, interprétait les rêves, dirigeait les cérémonies religieuses et les danses, pratiquait la magie et faisait des incantations en rapport avec leur mythologie.

De nos jours, les communautés micmaques installées dans le Québec se situent à Restigouche, où ils sont 1 500 membres; à Maria, sur la rive nord de la rivière Cascapédia, où ils sont 500 membres; et 150 d'entre eux se retrouvent dans la région de Gaspé. La pêche au saumon constitue une activité saisonnière importante. Un bon nombre de Micmacs sont charpentiers, ouvriers du fer dans la construction, guides de chasse, historiens, ou artistes. La vannerie, une industrie traditionnelle chez eux depuis l'abandon de la traite des fourrures, est à base de lanières de frêne ou en foin d'odeur.

Très associée aux Micmacs de la Gaspésie et du Nouveau-Brunswick, la première nation malécite de Viger, près de Rivière-du-Loup, reconnue en 1989 comme onzième nation par le gouvernement provincial du Québec, compte 225 membres inscrits. Au début du XVIIᵉ siècle, en provenance du Maine et de l'Est du Canada, les Malécites venaient commercer leurs fourrures à la mission de Rivière-du-Loup. Attachés aux Pères Récollets, ils allaient en grande partie les suivre et se fixer le long de la rivière Saint-Jean au Nouveau-Brunswick. Seules quelques familles continuèrent de vivre dans l'Anse de la Rivière-du-Loup et dans la région de Saint-Épiphane.

Leur alimentation de base reposait sur le poisson et les viandes sauvages, le castor, l'ours, le rat musqué et l'orignal. Les Malécites étaient reconnus pour la beauté de leur corps qu'ils décoraient de tatouages. Les femmes portaient une tunique et un capuchon pointu décorés de perles et de bijoux en argent.

Femme micmaque de la Gaspés

14. La grotte du massacre – 1984
huile sur toile; 10″ × 12″; 1984
collection C. Lacroix, Montréal

Des Amérindiens morts dans une grotte
y reviennent veiller certaines nuits de l'été.

BIC

Sur l'Ilet au Massacre, un des trois îlots du Bic, il y a quelques années, le fond d'une grotte encore tapissée d'os blanchis rappelait un malheureux événement. Peu avant la venue de Jacques Cartier, des familles d'Indiens nomades partis de Donnacona descendaient en canots sur le fleuve Saint-Laurent et se rendaient dans leurs territoires de chasse. Se sentant poursuivis, ils débarquèrent sur un îlot pour se cacher dans une grotte. Peu de temps après, ils durent abandonner leur cachette qui allait se remplir d'eau à marée montante. Mais tous y périrent; hommes, femmes et enfants, puisque leurs ennemis qui les avaient repérés mirent le feu à une palissade barrant la sortie des lieux.

Certains soirs, dans la Baie du Bic, entre le cap Enragé et le Cap-aux-Corbeaux, des lueurs du brasier sautillent encore et des fantômes armés de flambeaux dansent sur les galets. Le vent, dit-on, fait entendre le gémissement des Indiens en peine. Un jeune homme qui s'était rendu passer l'hiver dans le phare du Bicquet, seul avec son chien, fut éveillé pendant une nuit par des grincements dans l'escalier et par ce qu'il crut être des coups de tomahawk donnés contre les murs. Le soir suivant, des plaintes vinrent s'y ajouter. Le matin, voulant abandonner les lieux, il partit sur la glace mince, mais il dut rebrousser chemin et revenir vers le phare pour passer une autre nuit affreuse. Son chien qui était parvenu sur la rive attira l'attention des habitants qui vinrent chercher le jeune homme, mais ils le retrouvèrent mort de peur.

LES MOHAWKS

Avant l'arrivée des Européens, les Mohawks appartenaient à la famille des Iroquois qui faisait partie de la ligue des Cinq Nations, ou «Peuple de la Maison longue», par rapprochement avec la longue maison d'écorce contenant cinq feux. Au temps de Jacques Cartier, il y avait un village Mohawk à Stadacona, près de la ville de Québec, et un autre à Hochelaga, qui est devenu Montréal.

À la fin du XVIIe siècle, ils s'installaient à Kahnawake où vivent maintenant quelque cinq mille de leurs descendants. Le corps de Kateri Tekakwitha, décédée en 1680 et déclarée vénérable en 1943, repose dans l'église de la mission Saint-François-Xavier à cet endroit. Au milieu du XVIIIe siècle, des membres de la nation allèrent s'établir près du lac des Deux-Montagnes à l'endroit nommé Kanesatake, où vivent aujourd'hui neuf cents personnes. Un clan se détacha ensuite de ce dernier endroit pour s'en aller à Akwesasne, qui compte maintenant une population de mille cinq cents membres sur le territoire québécois.

La nation mohawk, une société matrilinéale, est représentée et protégée par les clans de la Tortue, de l'Ours et du Loup. L'occupation traditionnelle qui assurait leur survie matérielle était jadis l'agriculture, mais depuis le début du XXe siècle, la plupart des hommes sont des travailleurs spécialisés dans la charpenterie en acier au Canada et aux États-Unis. Des femmes et des hommes sont avocats, médecins, travailleurs sociaux, etc.

Les Mohawks sont de bons sculpteurs sur bois et sur pierre, et ils sont renommés comme joailliers et artisans vanniers. Ils façonnent aussi des vêtements en cuir ornés de broderies perlées. Chaque communauté renferme des artistes et des artisans reconnus pour leurs réalisations. Un sport de compétition dans lequel ils excellent est celui de la crosse qui, jadis, constituait un événement spirituel. En été, ils participent à des compétitions nationales de course en canot.

Des artefacts anciens, les faux-visages, des masques en bois sculpté, de même que des ceintures de wampum et autres objets culturels des temps passés sont exposés dans leurs musées. La nation mohawk est très déterminée à sauvegarder sa langue et sa culture.

Jeune Mohawk en tenue de com

15. La cloche de Kahnawake – 1983
huile sur toile; 14″ × 18″; 1983
collection C. Lacroix, Montréal

Les villageois vont livrer bataille au Massachusetts
pour reprendre leur cloche dérobée.

KAHNAWAKE

Le missionnaire de Kahnawake avait bien réussi à faire construire une chapelle; mais elle n'avait toujours pas de cloche. Vers 1690, les Indiens lui remirent des fourrures qu'il envoya en France pour obtenir une cloche en échange. Après deux ans de vaine attente, ils apprirent qu'un navire anglais avait capturé l'équipage français qui ramenait la cloche et que celle-ci était installée dans un clocher protestant, à Deerfield, au Massachusetts.

Quatorze ans plus tard, en plein hiver, les Indiens se mirent sous les ordres de Vaudreuil pour aller reprendre leur bien. L'expédition fut difficile; les Français se décourageaient et le missionnaire faillit perdre la vie. Même les pires intempéries ne réussirent pas à démoraliser les Indiens qui avançaient dans la poudrerie comme si c'était l'été. La ville fut prise et ils ramenèrent un groupe de prisonniers. Les Indiens eux, pendirent la cloche à une perche qu'ils portèrent deux à deux sur leurs épaules, à tour de rôle. Parvenus sur les rives du lac Champlain, les jambes blessées par la croûte, ils durent enterrer la cloche pour ne revenir la chercher qu'en juin suivant.

Lorsqu'enfin ils entrèrent à Kahnawake avec la cloche, leurs têtes décorées de couronnes de feuillage et de fleurs, ils furent reçus en triomphe. Au bout de deux ans, les prisonniers furent remis en liberté. Seule une jeune anglaise fiancée à un guerrier indien ne voulut point retourner à Deerfield; et le missionnaire, dans une fête très animée, bénit leur mariage.

LES MONTAGNAIS ET LES NASKAPIS

Au XVIIe siècle, les tribus montagnaises occupaient une vaste région de la Côte-Nord, mais ils durent abandonner ces lieux d'origine et déménager leur installation à plusieurs reprises sur ce grand territoire. D'après leur histoire orale, avant l'arrivée des Européens, les Inuit s'emparèrent de leur territoire et ils durent se retirer dans l'arrière-pays. Plus tard, une section de la Côte-Nord fut divisée en seigneuries. Il y eut aussi une période intense de chantiers forestiers suivie de l'arrivée de colonisateurs. Au XXe siècle, le développement minier et les constructions hydro-électriques vinrent s'ajouter. Les évangélisateurs s'installèrent dans les villages et des postes de traite firent leur apparition. Tous ces mouvements et ces présences allaient modifier les traditions et les lieux de vie des Amérindiens. La farine, le beurre, le thé, la toile et les fusils furent introduits. Auparavant, la viande de caribou constituait leur plus importante ressource alimentaire et sa fourrure servait à fabriquer les vêtements. On chassait aussi le canard, l'oie et le lièvre et on pêchait surtout le saumon et la truite. Tous les vêtements des femmes étaient très décorés : mocassins, robes, jupes, tuniques noires et rouges, jambières. Les peaux colorées avec des teintures naturelles étaient brodées de rangs de perles et ornées de franges et de glands. De nos jours, les femmes portent encore leur petit chapeau traditionnel, et les hommes utilisent toujours le couteau croche pour fabriquer leurs articles : raquettes, canots, paniers, jouets, instruments musicaux, jeux. Les tambours sont toujours utilisés pour accompagner les activités rituelles. Leurs récits comportent la présence d'un héros comique, Carcajou; et celle de Tshakapesh, le protecteur qui libère des monstres qui assaillent les Amérindiens.

Les principaux villages comprenant des populations importantes de Montagnais sont Mashtewiatsh (Pointe-Bleue), Les Escoumins, Betsiamites, Matimekosh, Uashat-Maliotenam, Mingan, Natashquan, La Romaine, Saint-Augustin et Pakuashipi. Ils forment une population totale de plus de 7 000 Montagnais au Québec.

Plus de 400 Naskapis du Québec vivent dans la région de Schefferville et parlent une langue semblable à celle des Montagnais. Ces Amérindiens qui vivaient jadis principalement de la chasse au caribou dans la région de la Baie-d'Ungava, parcouraient de longues distances en suivant la migration de cet animal.

Les Naskapis purent se procurer des produits européens par l'entremise des Montagnais ou des Cris dans le premier quart du XIXe siècle, puisqu'ils mirent du temps avant de s'intéresser à la traite des fourrures. En 1956, ils quittèrent Matimekosh où ils vivaient avec les Montagnais, bien qu'ils soient deux groupes différents, pour se construire un nouveau village : Kawawachikamach. Les Naskapis sont toujours de grands chasseurs même si certains d'entre eux occupent des emplois dans diverses entreprises de construction.

Jeune Montagnaise de la Basse-Côte-Nor

16. Les amants pourchassés – 1983
huile sur toile; 12″ × 14″; 1983
collection M. Gagné, Sainte-Foy

Deux amants doivent se jeter dans les eaux
pour échapper au feu qui les pourchasse.

LES ÉBOULEMENTS

Pour perpétuer sa lignée, un pêcheur basque installé sur la côte nord du Saint-Laurent destinait sa fille unique à un chef indien; il voulait qu'elle donnât le jour à un enfant de grande nature qui continuerait de tirer du poisson de la mer. Mais elle s'éprit plutôt d'un trappeur anglais, et tous deux, pour échapper à la vengeance des dieux, se cachèrent en forêt pendant tout l'hiver. Au printemps, ils se mirent en route pour aller faire bénir leur mariage par le missionnaire de Tadoussac. Un après-midi, alors qu'ils approchaient des rives du Saint-Laurent, le soleil brillait avec tant d'ardeur qu'il enflamma les arbres de la forêt où se trouvaient les amants. Environnés de toutes parts par les flammes, ils coururent vers le fleuve et se jetèrent dans l'embouchure du Saguenay. Un voyageur qui les retrouva blessés et mourants sur la rive les transporta avec grande peine dans un champ éloigné où il leur prodigua des soins.

Bien qu'affligés d'infirmité, une fois suffisamment rétablis, ils se remirent en route pour se rendre à une mission sur les bords du Saint-Laurent. Par une froide journée d'automne, ils trouvèrent enfin un prêtre qui, après avoir réuni des témoins, s'apprêtait à les unir dans le mariage. Soudain, le ciel s'obscurcit et les animaux coururent se cacher. Bien qu'il fît jour, la noirceur se répandit, la terre se mit à trembler et à se craqueler. Lorsque le calme se rétablit et que la lumière revint, le prêtre s'aperçut que les Éboulements avaient surgi de terre. Il chercha en vain les deux amoureux, mais jamais plus ils ne furent revus. Depuis, des voyageurs distinguent parfois au-dessus de la Baie une belle princesse basque qui désespère, cherchant vainement son futur époux sur les eaux.

INDEX DES LIEUX LÉGENDAIRES

ODANAK

1. L'enfant adopté par des ours

Un enfant abénakis perdu par ses parents est retrouvé dans une grotte d'ours.

ODANAK

2. La naissance des esturgeons

Le grand manitou des Abénakis taille le rocher et laisse passer le père des esturgeons.

BÉCANCOUR

3. La famille transformée en baleines

Un père abénakis et ses filles privés d'eau à boire se transforment en baleines.

ODANAK

4. Le courrier du Roi

Un Blanc devenu amoureux d'une Amérindienne est mis en déroute par un ours dompté.

SAINT-FRANCOIS-DU-LAC

5. Le grand serpent de mer

Une femme étend son linge pour le faire sécher sur un corps d'arbre qui se change en serpent.

SAINT-ADELPHE

6. Le windigo

Un animal invisible et de mauvaise renommée vient se manifester à des enfants.

7. La création de la rivière Saint-Maurice

Avant de mourir, un Amérindien creuse la rivière à travers la terre ferme.

8. Le dernier loup-garou

Un Attikamek loup-garou pourchasse les siens et s'enfonce dans le feu.

9. L'enfant dans la lune

Un jeune Attikamek abandonne ses parents et s'en va dans la lune.

10. Le petit homme astucieux

Un petit homme attikamek se promène sur une flèche et prend le soleil au collet.

11. Les chasseurs d'ours

Un enfant élevé par un ours devient un très bon chasseur, puis il sera finalement transformé en ours.

12. L'arbre des rêves

Un vieil Indien récompensé par Notre-Dame de Lorette.

13. La Dame aux glaïeuls

Une sorcière sort des eaux et s'attaque aux voyageurs par soirs de pleine lune.

14. La grotte du massacre

Des Amérindiens morts dans une grotte y reviennent veiller certaines nuits de l'été.

15. La cloche de Kahnawake

Les villageois vont livrer bataille au Massachusetts pour reprendre leur cloche dérobée.

16. Les amants pourchassés

Deux amants doivent se jeter dans les eaux pour échapper au feu qui les pourchasse.

BIBLIOGRAPHIE

Références pour chacune des légendes

1. Jacques Dorion, *Le folklore oral des Forges du Saint-Maurice*, Québec, Parcs Canada, 1977, 133 pages (p. 67).
   Frank G. Speck, *Penobscot Man*, N.Y., Octagon Books, 1976, 325 pages (pp. 219-220).

2. Frank G. Speck, *Penobscot Man*, (pp. 224-225).
   H.L. Masta, *Abenaki Indian Legends, Grammar and Places Names*, Victoriaville, La voix des Bois-Francs, 1932, 110 pages (pp. 15-24).

3. Frank G. Speck, *Penobscot Man*, (pp. 216-223).
   H.L. Masta, *Abenaki Indian Legends, Grammar and Places Names*, (pp. 15-49).

4. AFUL, coll. J.-C. Dupont, doc. ms. 8899.
   C. Jolicœur, *Les plus belles légendes acadiennes*, Montréal, Stanké, 1981, p. 221.

5. AFUL, coll. J.-C. Dupont, doc. ms. 8901.
   Louis-Philippe Côté, *Visions du Labrador*, Montréal, Edition Albert Lévesque, 1934, pp. 27-32.

6. AFUL, coll. P. Carpentier, enreg. 8.
   Abbé G. Dugas, *Un voyageur des Pays d'en Haut*, Montréal, Beauchemin, 1904, p. 117 et 127.

7. J.-R. Ringuette, «La naissance de la Rivière Saint-Maurice», Cap-de-la-Madeleine, 1985, 3 pages manuscrites.

8. Dollard Dubé, *Légendes indiennes du Saint-Maurice*, Trois-Rivières, Les Pages trifluviennes, Série C, no 3, 1933, 79 pages (pp. 22-26).

9. Dollard Dubé, *Légendes indiennes du Saint-Maurice*, (p. 16).

10. Dollard Dubé, *Légendes indiennes du Saint-Maurice*, (pp. 12-15).

11. Frank G. Speck, *Penobscot Man*, (pp. 219-220).

Adrian Tanner, *Bringing Home Animals*, London, C. Hurst and Company, 1979, 233 pages (pp. 148-150).

12. Marius Barbeau, *L'arbre des rêves*, Montréal, Les Editions Lumen, 1947, 189 pages.

Philippe Aubert de Gaspé, «Légende du grand serpent», *Le foyer canadien*, Québec, Darveau, 1866, pp. 539-551.

13. Henri-Raymond Casgrain, «La Jongleuse», *Les Soirées canadiennes*, Québec, 1861, vol. I, pp. 205-289.

Réal Cloutier, «La sorcière du Saint-Laurent», *Le Terroir*, vol. VIII, 1926, p. 359.

14. Damase Potvin, *Le Saint-Laurent et ses îles*, Montréal, Ed. Bernard Valiquette, 1940, 413 pages (pp. 227-229).

J.-C. Taché, *Trois légendes de mon pays*, Montréal, Beauchemin, 1912, 140 pages (pp. 32-92).

15. A.-G. Gérard, *Itinéraire de Québec à Chicago*, Montréal, Beauchemin et Valois, 1868, 178 pages (p. 42).

Anonyme, «La cloche de Kahnawake», *Le Monde illustré*, vol. 3, 1886-1887, p. 336.

16. Katerine Hale, *Legends of the St. Lawrence*, Montréal, Canadian Pacific Railway, 1926, 47 pages (pp. 45-47).

Damase Potvin, *Le tour du Saguenay*, Beauceville, L'Éclaireur, 1920, 168 pages (pp. 73-76).

AGMV
MARQUIS
Québec, Canada
1997

Dans chacun des récits contenus dans ce fascicule il y a présence de personnages amérindiens. Certains récits, plus anciens, découlent du savoir traditionnel des autochtones, tandis que d'autres, se rattacheraient surtout à des événements des XVIIe et XVIIIe siècles transmis par la tradition orale francophone. Par exemple, la littérature orale francophone a véhiculé les légendes de «la cloche de Kahnawake» et des «amants pourchassés». D'autres légendes comme «le windigo» et «la grotte au massacre» ont été transmises aussi bien par la tradition francophone que par la tradition amérindienne. Certains récits relèvent exclusivement du répertoire amérindien; ce sont surtout ceux qui prennent la forme de mythes ou qui leur sont apparentés, tels «l'arbre des rêves», ou «la création de la rivière Saint-Maurice», ou «la naissance des esturgeons».

This book is available in English version   ISBN: 2-9801550-7-1